D1379349

À Kristine, Mathilde, Johanna et Clément.

BEST of EMMANUEL RENAUT

ALAIN DUCASSE
EDITION

Emmanuel

EMMANUEL RENAUT

Qu'est-ce qui vous a donné l'envie de cuisinier?

La montagne est venue bien avant la cuisine... Lorsque j'avais une dizaine d'années, nous allions en vacances à Houches, vers Chamonix, et j'avais alors une certitude : plus grand, je vivrai à la montagne. J'ai même pensé devenir chasseur alpin... et j'y ai effectué mon service militaire ! La montagne, c'est d'abord un rêve de gamin. Et la cuisine est venue ensuite, en rencontrant les bonnes personnes. Mon frère étant sommelier, il m'avait aussi dit en riant de devenir « graisseux », comme on disait il y a 30 ans, pour que l'on ouvre un restaurant ensemble. Alors, j'ai appris la cuisine, et puis j'ai découvert la gastronomie au fur et à mesure de mes apprentissages.

Quels sont les chefs qui ont marqué votre parcours?

Toute l'équipe du Crillon : Christian Constant, Yves Camdeborde, Éric Frechon, Jean-François Rouquette, Thierry Fauché, Thierry Breton... Quand on tombe dans une marmite comme ça de passionnés à 200%, on s'accroche ou on s'en va ! C'est devenu une vraie famille de copains pour moi, très soudée. Lors de mon compagnonnage, j'ai également été second chez Yves Thuriès, où j'ai beaucoup travaillé la pâtisserie et les aspects techniques du sucre, notamment avec Gérard Praud. Enfin, la montagne m'a amené aux côtés de Marc Veyrat pendant 7 ans : j'étais à ses côtés lorsqu'il a obtenu sa troisième étoile en 1995 à l'Auberge de l'Éridan.

Que vous a apporté votre tour de France de compagnon-pâtissier?

Mon nom de compagnon, c'est « Île de France la Rigueur » : ce tour de France et cet apprentissage sont formateurs d'une vraie philosophie de travail. Je regrette qu'il ne soit pas plus développé en cuisine, car la transmission des savoir-faire aux jeunes est cruciale et me tient particulièrement à cœur.

Que vous a apporté votre expérience à Londres?

J'avais dit que je volerais de mes propres ailes une fois les trois étoiles de Marc Veyrat obtenues. J'ai tenu parole, et j'avais besoin de marquer une certaine rupture : être dans le groupe Savoy, le même qu'Escoffier, c'était déjà mythique... J'ai beaucoup apprécié la liberté culinaire anglo-saxonne, très paradoxale : puisque les racines culinaires y sont moins développées qu'en France, ils osent beaucoup plus, ont moins d'interdits, et font des mélanges plus osés, où la cuisine du monde prend tout son sens. Et c'est à Londres que j'ai rencontré Kristine...

Comment définiriez-vous votre cuisine?

Les premières années où j'étais chez moi, je me suis interdit d'utiliser des herbes sauvages : au moindre bout de ciboulette, on me disait que je faisais du Veyrat... Je n'ai pas envie que ma cuisine ressemble à celle de quelqu'un d'autre. C'est une cuisine très technique, mais où la technique doit rester souterraine : je n'aime pas qu'on la perçoive. Il faut que les plats paraissent naturels et évidents, sans que l'on devine tout le travail derrière : morilles et sabayon amaretto, oursin-café, petit pois-sureau. On a juste l'impression qu'ils sont faits pour aller ensemble ! J'aussi besoin qu'il y ait quelque chose qui redynamise la sensation en bouche, qui ravive le plat : d'où l'importance des acides et des amers dans la composition de mes plats.

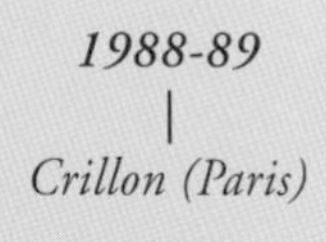

EN QUELQUES DATES

1988-89 | *Crillon (Paris)*

1988-1996 | *Auberge de l'Eridan (Annecy) de Marc Veyrat*

1997 | *Chef du Claridge's (Londres)*

D'ailleurs, quand je goûte mes plats, je les ai goûtés depuis longtemps déjà dans ma tête...

Quelle est votre conception du restaurant?

J'ai toujours voulu être à mon compte pour mes 30 ans : j'aime mettre des croix sur un cahier, remplir mes objectifs... Lorsque nous avons créé Flocons de Sel, je voulais avant tout que l'on se sente chez soi. C'est « comme à la maison » : ma femme Kristine en salle est réellement « la maîtresse de maison ». Et quand le restaurant est ouvert, c'est très important pour moi d'être en cuisine. Car on a beau dire, la cuisine n'est pas tout à fait la même si le Chef n'est pas là... Je suis bien dans ma cuisine, avec mes gars, au passe avec mes baguettes. Je leur dis sans cesse qu'il faut faire à manger pour tout le monde comme si c'était pour son meilleur ami ou ses propres parents, en s'y donnant à 200 %. Je veux pouvoir dire au revoir à tous les gens qui me font le plaisir de venir manger chez moi.

Quel est votre rapport à la nature?

Absolument indispensable : j'y suis tout simplement dans mon élément ! J'aime aller me promener pour aller voir les plantes pousser : chaque année, je prends le temps d'aller voir les edelweiss... Les bourgeons de sapin, les champignons, les fleurs de sureau, la reine-des-prés, la gentiane : pourquoi aller chercher loin l'inspiration alors que j'ai tout cela à portée de main ? Je ne me vois pas aller acheter du carvi alors qu'il y en a tout autour de moi. Mon jardin, c'est tout ce qui m'entoure : tirer parti de ce que j'ai autour de moi et qui m'inspire, voilà aussi une facette de mon métier.

PORTRAIT GOURMAND

1/LE PRODUIT ET L'USTENSILE SANS LESQUELS VOUS NE POUVEZ CUISINER

Les poissons du lac, comme la féra, le brochet...
Les baguettes... et l'Opinel. Les baguettes me servent pour les dressages, et l'Opinel, il n'est jamais bien loin pour cueillir les champignons.

2/VOTRE BOISSON DE PRÉDILECTION

La meilleure boisson, c'est l'eau... mais celle que je préfère, c'est la chartreuse !

3/LE LIVRE DE CUISINE QUI VOUS EST INDISPENSABLE

L'Escoffier qui m'a servi à Londres pour les plats les plus classiques !

4/VOS PÉCHÉS MIGNONS

J'aime tout parce que j'aime la vie !
Sinon, partir 8 jours dans la montagne, loin et seul.

5/SI VOUS N'AVIEZ PAS ÉTÉ CUISINIER VOUS AURIEZ AIMÉ ÊTRE...

Champion de trial.

6/VOTRE COLLECTION

Les chartreuses... et les Guides Michelin.

7/VOTRE DEVISE

« Noir comme le diable. Chaud comme l'enfer. Pur comme un ange. Doux comme l'amour. » C'est ce que dit Talleyrand du café, et je partage sa vision !

23 décembre 1997 — *Ouverture du Flocons de Sel*

2004 — *Meilleur Ouvrier de France*

2012 — *3e étoile au guide Michelin et chef de l'année pour le magazine « Le Chef »*

SOMMAIRE

SOM MAI RE

BEIGNETS AU PARFUM DE LAIT D'ALPAGE ET ORTIES

Ce beignet est une des premières bouchées qui est servie à l'arrivée, elle se marie très bien avec une coupe de champagne ou un vin blanc sec. C'est le début du voyage au cœur de la montagne : le bois, les alpages.

RECETTE

Pour 60 beignets - Préparation : 40 min + 15 min - Cuisson : 10 min - Repos : 12 h + 1 h

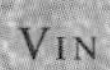

Vin

Roussette de Savoie, domaine Blard, 2012.

BÉCHAMEL

- ❒ 50cl de lait
- ❒ 50 g de copeaux d'épicéa torréfié*
- ❒ 20g de beurre
- ❒ 20g de farine
- ❒ 5g de sel
- ❒ 1 bouquet d'orties
- ❒ Quelques feuilles de céleri-branche

PÂTE À BEIGNET

- ❒ 250g de farine
- ❒ 1 gros jaune d'œuf (30 g)
- ❒ 50g d'huile de pépins de raisin
- ❒ 3g de sel
- ❒ 12g de levure
- ❒ 250g de bière
- ❒ 5g de sucre
- ❒ 3 blancs d'œufs (100 g)

- ❒ 1l d'huile de tournesol
- ❒ 50g de farine

La veille, faites infuser* le lait chaud pendant 15 min avec les copeaux d'épicéa, puis passez au chinois* et laissez refroidir.

01

Béchamel
Réalisez un roux* avec 20 g de beurre et 20 g de farine.

02

Ajoutez le lait au bois et le sel en continuant de fouetter.

Lavez, équeutez* et ajoutez les feuilles d'ortie et de céleri-branche, mixez au robot puis passez au tamis* fin.

Pochez* la béchamel dans des sphères de 2,5 cm de diamètre et réservez 12 h au congélateur.

05

Pâte à beignet
Le jour même, préparez la pâte à beignet : mélangez tous les ingrédients et laissez reposer à température ambiante pendant 1 h.

06

Préchauffez le four à 120 °C (th. 4). Montez* les blancs en neige et ajoutez-les à la pâte à beignet.

07

Faites chauffer le bain d'huile de tournesol à 180 °C. Roulez les demi-sphères de lait congelées dans la farine, enlevez l'excèdent, puis trempez-les dans la pâte à beignet.
Faites-les cuire dans le bain d'huile avec une belle coloration blonde, puis égouttez-les. Passez-les au four 2 min et servez.

08

GIROLLES CLOUS, GELÉE DE MÉLISSE, GRANITÉ D'OXALIS, PARFUMS DES BOIS

Les girolles clous juste cueillies sont le reflet du parfum des bois, elles m'évoquent un paysage de nature. Cuisinées simplement, elles sont déliceuses : fermes et poivrées.

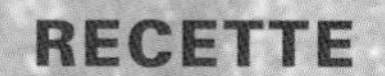

RECETTE

Pour 4 personnes – Préparation : 40 min – Cuisson : 5 min

VIN

Vin de Pays d'Allobrogie « Schiste », domaine des Ardoisières, 2011.

GIROLLES CLOUS

- ❒ 100g de petites girolles
- ❒ 1 c. à s. de bouillon de légumes (voir p. 106)
- ❒ 1 c. à c. de vinaigre blanc
- ❒ 1 c. à c. d'huile de noisette
- ❒ Sel
- ❒ 1 pointe de sucre

GRANITÉ D'OXALIS*

- ❒ 200g de feuilles d'épinard
- ❒ 200g d'oxalis*
- ❒ Sel

GELÉE DE MÉLISSE

- ❒ 20cl de bouillon de légumes (voir p. 106)
- ❒ 1 gros bouquet de mélisse
- ❒ 2g d'agar-agar*

DRESSAGE

- ❒ Quelques feuilles d'oxalis*
- ❒ 1 joli cèpe bien ferme
- ❒ 1 pomme acide
- ❒ Fleur de sel

Granité d'oxalis*

Équeutez* les feuilles d'épinard et les feuilles d'oxalis. Faites blanchir* les épinards 1 min dans de l'eau bouillante bien salée, retirez-les à l'écumoire* puis plongez-les directement dans un récipient d'eau froide.

01

Mixez les feuilles d'épinard avec les feuilles d'oxalis et 50 cl d'eau au blender. Filtrez le mélange au chinois* puis versez dans un récipient. Réservez au congélateur en grattant régulièrement la préparation.

02

Si vous n'avez pas d'oxalis, remplacez-le par une herbe acidulée, comme de l'oseille par exemple.

Gelée de mélisse

Lavez la mélisse. Portez le bouillon de légumes à ébullition puis ajoutez la mélisse.

03

Ôtez la casserole du feu et mettez à infuser* à couvert durant 15 min, puis filtrez. Remettez le liquide dans la casserole. Ajoutez l'agar-agar* et portez de nouveau à ébullition. Laissez cuire pendant 2 min.

04

Rectifiez l'assaisonnement et versez un fond de gelée de mélisse dans 4 assiettes creuses. Laissez prendre la gelée à température ambiante pendant 10 min.

05

Girolles clous

Lavez les girolles à l'aide d'un pinceau. Faites-les cuire quelques secondes dans une casserole avec 1 c. à s. de bouillon de légumes. Débarrassez dans un petit bol, ajoutez le vinaigre blanc, mélangez bien, égouttez-les et ajoutez l'huile de noisette, du sel et une pointe de sucre.

06

Dressage

Lavez la pomme, coupez-la en lamelles fines et taillez les bâtonnets. Nettoyez le cèpe à l'aide d'un pinceau et taillez-le en lamelles. Réservez-en quelques-unes et coupez le reste en bâtonnets.

07

Disposez les petites girolles sur la gelée ainsi que les feuilles d'oxalis, les bâtonnets de pomme acide et de cèpe, quelques grains de fleur de sel et le granité d'oxalis.

08

CÈPE EN FEUILLETAGE,
JUS AU SERPOLET

Une recette simple, meilleure expression
de la nature.

RECETTE

Pour 6 personnes – Préparation : 20 min – Cuisson : 12 min

Vin

Mondeuse Arbin Confidentiel, domaine Les fils de Charles Trosser, 2011.

CÈPES

- ❒ 6 jolis petits cèpes bouchons
- ❒ 60g de foie gras cuit en terrine
- ❒ 400 g de pâte feuilletée (voir p. 108)
- ❒ 1 jaune d'œuf
- ❒ Sel fin

DRESSAGE

- ❒ 10 cl de jus au serpolet (voir p. 106)
- ❒ Sel de Maldon*
- ❒ Poivre du moulin
- ❒ 1 branche de sapin

Cèpes
Enlevez les parties terreuses des cèpes avec un couteau d'office.

01

Nettoyez-les à l'aide d'un pinceau.

02

Il vaut mieux ne faire cette recette qu'avec des cèpes bouchons de 4 cm qui n'ont pas été entreposés au réfrigérateur.

Répartissez un peu de foie gras sous chaque chapeau avec la pointe d'un couteau.

03

Enveloppez les cèpes de pâte feuilletée – tête vers le bas – en tirant légèrement sur la pâte pour bien la souder au dessus du pied. Gardez assez de pâte feuilletée pour les chapeaux.

04

Utilisez une pâte feuilletée revenue à température ambiante, elle sera plus facile à manipuler. Attention à ne pas la laisser trop longtemps à l'air libre cependant, elle sèche assez rapidement.

Coupez l'excédent de pâte feuilletée au dessus du pied du cèpe afin d'avoir un bord net et droit. Retournez le cèpe.

Préchauffez le four à 180 °C (th. 6). Réalisez un cercle de pâte feuilletée du même diamètre que le chapeau, puis posez-le sur le cèpe. Appuyez très légèrement pour le faire adhérer.

Réalisez une dorure en battant le jaune d'œuf avec 1 goutte d'eau et 1 pointe de sel. Badigeonnez tout le feuilletage autour des cèpes avec cette dorure.

Dressage
Enfournez pour 12 min environ, jusqu'à ce que le feuilletage soit doré. Laissez reposer quelques minutes, puis servez le cèpe tranché en deux avec quelques grains de sel et le jus au serpolet. Décorez d'une branche de sapin.

Cette cuisson du cèpe permet d'avoir un parfum lors du tranchage avec une cuisson juste croquante.
Pour obtenir le jus de serpolet, préparez d'abord un jus de volaille avec une carcasse de poulet (voir p. 106) et laissez infuser du serpolet dedans.*

ÉCREVISSE DU LÉMAN, REINE-DES-PRÉS

Une préparation légère où la cuisson de la royale et des écrevisses est très importante. Tout se joue dans la délicatesse du lait de reine-des-prés : on y retrouve les parfums de cette fleur aux odeurs d'amande et d'anis, qui rappelle les promenades dans les champs.

RECETTE

Pour 7 personnes - Préparation : 50 min - Cuisson : 45 min

Vin

Chignin-Bergeron « La Bergeronnelle », domaine Les fils de René Quénard, 2010.

- ❒ 24 écrevisses
- ❒ 1kg de carottes
- ❒ Quelques queues de persil
- ❒ 1 échalote
- ❒ Quelques grains de poivre
- ❒ 1cl d'huile de noisette

ROYALE

- ❒ 250g de lait
- ❒ 250g de bisque d'écrevisse (voir p. 107)
- ❒ 200g de crème
- ❒ 3 œufs + 1 jaune
- ❒ Sel
- ❒ Poivre

DÉS DE CAMPARI

- ❒ 100 g de navet
- ❒ 5 cl de Campari

LAIT DE REINE-DES-PRÉS*

- ❒ 100g de bisque d'écrevisse (voir p. 107)
- ❒ 200g de lait
- ❒ 50g de beurre
- ❒ 1 bouquet de reines-des-prés*

Royale

Mixez tous les ingrédients au mixeur plongeant, puis passez ce mélange au chinois*.

Versez 100 g de mélange dans chacun des 7 récipients. Filmez chaque ramequin et faites cuire à la vapeur 20 min. La royale doit être juste prise et rester moelleuse. Réservez au chaud.

Lait de reine-des-près*

Chauffez la bisque d'écrevisse dans une casserole, ajoutez le beurre et le lait. Donnez une ébullition, puis rectifiez l'assaisonnement.

Hors du feu, ajoutez le bouquet de reines-des-près et laissez infuser* 15 min. Passez au chinois*.

Dés de Campari

Épluchez le navet et coupez-le en brunoise*. Faites blanchir* les dés dans de l'eau salée pendant 2 min, puis égouttez-les. Portez le Campari à ébullition, puis versez-le sur les dés et laissez tremper jusqu'au dressage du plat.

Écrevisses

Préparez le court-bouillon* : épluchez et coupez les carottes en dés, épluchez et ciselez l’échalote. Placez-les avec les grains de poivre dans une casserole, versez 2 l d’eau et portez à ébullition. Faites cuire 10 min à frémissement.

06

Châtrez les écrevisses : enlevez le boyau noir en tirant délicatement sur la nageoire du milieu de la queue.

Plongez les écrevisses dans le court-bouillon* et laissez cuire 1 min après la reprise de l’ébullition. Stoppez la cuisson en les plongeant dans de l’eau glacée. Décortiquez les queues et les pinces.

07

08

Taillez les écrevisses en dés, assaisonnez avec du sel, du poivre et l'huile de noisette. Répartissez la chair dans les ramequins.

Faites cuire l'œuf restant pendant 5 min dans de l'eau bouillante, laissez-le refroidir puis écalez*-le. Juste avant de servir, mettez-le dans le lait de reine-des-près et émulsionnez à l'aide d'un mixeur plongeant. Répartissez dans les ramequins, puis servez immédiatement.

MILLEFEUILLE DE LÉGUMES

SANS PÂTE TIÈDE

Véritable image croisée des jardins, des bois et des prés : ce millefeuille est une ôde à la nature qui m'entoure. Une recette inspirée d'une des garnitures réalisées pour le concours de Meilleur Ouvrier de France en 2004.

RECETTE

Pour 6 personnes – Préparation : 2 h – Repos : 6 h

Vin

Le Feu, domaine Belluard, 2010.

DUXELLES DE CHAMPIGNONS

- 250g de champignons de Paris
- 250g de champignons des bois (girolles, cèpes, mousserons, pieds de mouton, etc.)
- 50 g de beurre

MILLEFEUILLE DE LÉGUMES

- 1kg de grosses pommes de terre à chair ferme
- 1kg de carottes
- 300g de feuilles d'épinard
- 1 grosse poignée d'herbes du jardin : persil, cerfeuil, estragon, ciboulette
- Sel fin

DRESSAGE

- Sel de Maldon*
- 10 cl d'huile de noisette
- 100g de coulis d'herbes (voir p. 106)
- 1 c. à c. de vinaigre de sarriette (voir p. 106)
- Herbes et fleurs du jardin (fleur d'oignon, fleur d'ail, origan, fleur de persil, cerfeuil, oxalis*, ciboulette, estragon, shiso*, tagete*, capucine, achillée*, menthe, coriandre)

Duxelles de champignons
Émincez* les champignons de Paris, puis faites-les colorer à la poêle dans 25 g de beurre pendant environ 5 min.

Assaisonnez-les puis passez-les au blender pour en faire une purée.

01

02

Nettoyez les champignons des bois à l'aide d'un pinceau et enlevez les parties terreuses avec un couteau d'office. Émincez*-les puis faites sauter à la poêle dans 25 g de beurre pendant quelques minutes.

03

Hachez-les au couteau finement puis mélangez-les avec la purée de champignon de Paris.

Mettez la duxelles dans une sauteuse sur feu doux, et laissez-la dessécher pendant 45 min environ.

Millefeuille de légumes

Pelez les pommes de terre et les carottes. Réalisez de fines lamelles de carottes et de pommes de terre à l'aide d'une mandoline.

En cuisine, nous réalisons de longues bandes de pomme de terre grâce à une mandoline spéciale, mais des lamelles de pommes de terre fonctionneront également !

Faites-les cuire au cuit-vapeur séparément environ 5 à 7 min : les carottes doivent être fondantes et les pommes de terre bien cuites. Faites cuire également les feuilles d'épinard à la vapeur pendant 30 s.

07

Dans un cadre de 10 x 15 cm environ, commencez par déposer une couche de carottes en les faisant légèrement se chevaucher.

08

Coupez l'excédent de carottes à l'aide d'une spatule pour que les bords du millefeuille soient droits. Pensez à saler entre chaque couche.

09

Continuez en déposant 3 couches de pommes de terre sans les faire se chevaucher, mais en prenant soin de bien les souder entre elles. Surmontez de feuilles d'épinards entières au centre, et coupées en deux sur les côtés afin que les bords soient bien nets. Saupoudrez généreusement d'herbes du jardin.

10

Déposez à nouveau 3 couches de pommes de terre, puis une couche de carottes. Surmontez de la duxelles de champignons refroidie, puis d'une nouvelle triple couche de pommes de terre et d'une couche d'épinards. Saupoudrez généreusement d'herbes du jardin et terminez le montage avec une triple couche de pommes de terre.

11

Déposez un deuxième moule de même dimension (ou une plaque) sur le millefeuille puis posez un poids dessus pour bien le presser. Laissez-le sous presse au moins 6 h.

12

Dressage
Au moment de servir, retaillez les bords pour qu'ils soient bien nets, et découpez le millefeuille en rectangles.

13

Réchauffez-les au cuit-vapeur quelques minutes jusqu'à ce qu'ils soient tièdes. Dressez chaque assiette : réalisez quelques traits de coulis d'herbes, déposez un rectangle de millefeuille et saupoudrez joliment d'herbes et de fleurs. Déposez quelques points de vinaigre de sarriette et assaisonnez d'huile de noisette et de sel de Maldon*.

14

2 MM DE POLENTA,
JUS AU PARFUM DES SOUS-BOIS, POUSSIÈRE DE TRUFFE

Deux millimètres d'épaisseur : j'ai souhaité exprimer toute la finesse de la polenta et contrebalancer l'image rustique de ce plat typiquement savoyard. Un plat tout en finesse et délicatesse.

RECETTE

POUR 8 PERSONNES - Préparation : 20 min + 30 min - Cuisson : 2 h - Repos : 4 h

VIN

Mondeuse Arbin La Belle Romaine, domaine Château de Mérande, 2011.

- ❒ 50cl de lait
- ❒ 85g de polenta
- ❒ 1 pincée de sel
- ❒ 150 g de girolles
- ❒ 20g de beurre
- ❒ 15cl de jus de poulet (voir p. 106)
- ❒ 1 dizaine de baies de genièvre
- ❒ 1 truffe de 40g
- ❒ 2 feuilles de sauge

Faites bouillir le lait. Ajoutez la sauge, le thym, et laissez infuser* à couvert pendant 15 min hors du feu.

01

Passez au chinois*, assaisonnez et versez la polenta en pluie dans le lait infusé.

Faites cuire à feu très doux pendant 2 h en remuant régulièrement à l'aide d'une spatule.

02

03

Une fois la polenta cuite, étalez-la entre deux tapis en silicone sur une épaisseur de 2 mm. Réservez au réfrigérateur.

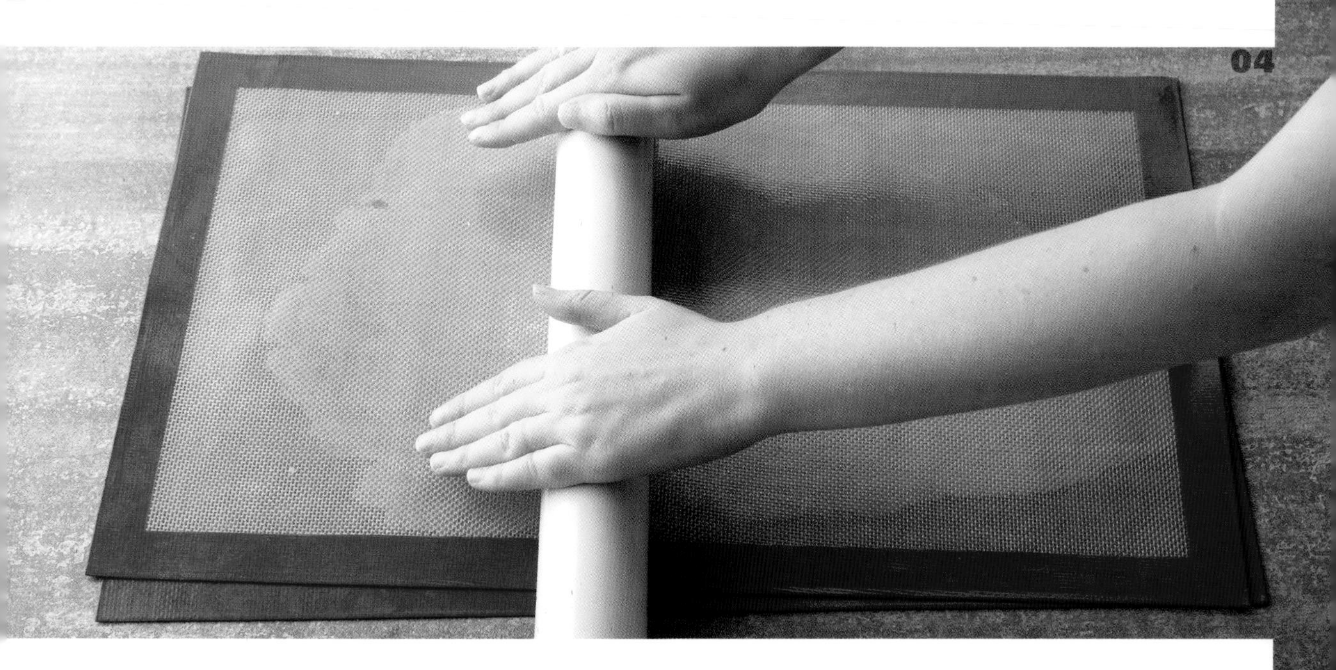

Lavez les girolles à l'aide d'un pinceau, faites-les cuire dans une poêle avec le beurre pendant 2 min et rectifiez l'assaisonnement.

Hachez les girolles à l'aide d'un couteau.

06

Découpez la polenta en carrés de 8,5 cm de côté, et déposez-les sur des feuilles de papier cuisson.

07

Faites chauffer le jus de poulet. Concassez les baies de genièvre, ajoutez-les et faites infuser* pendant 15 min hors du feu. Rectifiez l'assaisonnement et passez au chinois*.

08

Dressage

Coupez les carrés de polenta en trois bandes.
Sur l'assiette, posez une cuillérée de girolles poêlées chaudes, disposez une première bande de polenta sur le dessus bien au milieu, puis une autre de chaque côté. Taillez avec un emporte-pièce de 7,5 cm de diamètre, passez sous le gril du four pendant une dizaine de seconde, puis servez avec le jus de volaille parfumé au genièvre. Râpez de la truffe dessus.

09

LOTTE DU LAC ET BROCHET EN BISCUIT, BOUILLON D'OIGNON ET LIERRE TERRESTRE

Un grand classique de la maison, né de ma volonté de réinterpréter la recette de la quenelle. Je l'adapte au fil des saisons avec différents poissons du lac et différentes herbes sauvages.

RECETTE

Pour 6 personnes - Préparation : 1 h - Cuisson : 2 h15 + 15 min

Vin

Chignin-Bergeron « Euphrasie », domaine Adrien Berlioz, 2011.

BOUILLON D'OIGNON

- ❒ 1 kg d'oignons
- ❒ 200 g de beurre
- ❒ 10 g de sucre
- ❒ 1 l de bouillon de légumes (voir p. 106)
- ❒ 1 botte de lierre terrestre*

BILLES DE TAPIOCA

- ❒ 100 g de bouillon d'oignon
- ❒ 10 g de tapioca

BISCUIT

- ❒ 100 g de lotte
- ❒ 160 g de brochet
- ❒ 2 œufs
- ❒ 260 g de crème
- ❒ 40 g de beurre
- ❒ 25 g de bisque d'écrevisse (voir p. 107)
- ❒ 4 tranches de pain de mie de 2 mm d'épaisseur (voir

Bouillon d'oignon
Épluchez et émincez* les oignons. Faites-les suer* doucement dans une cocotte avec 50 g de beurre, puis caramélisez-les avec 10 g de sucre.

Ajoutez 1 l de bouillon de légumes, faites cuire à frémissement pendant 2 h, puis passez au chinois*. Faites réduire* de moitié et réservez 100 g pour le tapioca. Montez* le reste avec 150 g de beurre. Rectifiez l'assaisonnement et réservez au chaud.

01
02

Billes de tapioca
Versez les billes de tapioca dans 100 g de bouillon d'oignon réduit et faites-les cuire jusqu'à ce qu'elles deviennent transparentes.

03

Biscuit

Faites chauffer le beurre.

Dans un robot, mixez la chair de lotte et de brochet avec le sel et le sucre. Ajoutez les œufs, la crème, le beurre chaud et la bisque d'écrevisse, mixez encore pendant 2 min.

Passez au tamis* fin.

Mettez la farce dans un cadre recouvert de papier film, lissez à la spatule et faites cuire à la vapeur 15 min. Laissez refroidir et taillez en rectangles. Taillez les tranches de pain de mie de la même taille que les rectangles de farce. Posez la farce sur le pain.

06

Environ 15 min avant de servir, mettez le lierre terrestre* à infuser* dans le bouillon d'oignon chaud monté au beurre.

07

Faites colorer les biscuits côté pain dans du beurre clarifié. Réservez au chaud.

08

Passez la sauce au chinois*, rectifiez l'assaisonnement et émulsionnez à l'aide d'un mixeur plongeant.
Servez le biscuit de lotte avec le jus, les beignets et les perles de tapioca.

09

FÉRA DU LAC LÉMAN,
PÂTE DE CITRON

La féra est certainement le poisson le plus sain de nos lacs, puisqu'il ne se nourrit que de plancton et vit entre deux eaux. Sa chair est d'une grande finesse : toute la réussite du plat réside dans la cuisson minute.

RECETTE

POUR 4 PERSONNES - Préparation : 50 min - Cuisson : 3 h 30 + 1 h

VIN

Chignin « Chez l'Odette », domaine Gilles Berlioz, 2011.

PÂTE DE CITRON

- ❒ 5 citrons
- ❒ 1 l d'eau
- ❒ 600 g de sucre semoule
- ❒ 20 clous de girofle

PÂTE DE CITRON AU CÉLERI

- ❒ 1 c. à s. de pâte de citron
- ❒ 150 g de purée de céleri

MERINGUES CITRON

- ❒ 3 gros blancs d'œufs (100 g)
- ❒ 70 g de glucose
- ❒ 30 g de pâte de citron
- ❒ Quelques gouttes de jus de citron

FÉRA

- ❒ 2 filets de féra désarêtés

DRESSAGE

- ❒ Sel de Maldon*
- ❒ Poudre de thé vert Matcha
- ❒ 1 botte de fleurs de persil

Pâte de citron

La veille, mettez les citrons à tremper dans de l'eau pour en ôter l'amertume.
Le jour même, faites-les blanchir* : plongez-les dans une casserole d'eau froide, portez à ébullition et stoppez la cuisson dès que l'eau bout. Répétez cette opération 3 fois.

01

Faites confire les citrons à frémissement dans 1 l d'eau avec le sucre semoule et les clous de girofle pendant 3 h. Piquez-les avec une aiguille à brider pour vérifier la cuisson.

Égouttez, mixez au mixeur plongeant puis passez au tamis*. Réservez.

02

03

Meringues citron

Préchauffez le four à 70 °C (th. 2). Montez* les blancs d'œufs en neige. Portez le glucose à ébullition, puis versez-le sur les blancs sans cesser de fouetter jusqu'à refroidissement. Ajoutez 30 g de pâte de citron et le jus de citron.

Étalez le mélange obtenu sur un tapis en silicone huilé et faites-le cuire au four pendant environ 1 h.

À la sortie du four, taillez des cercles de meringue avec un emporte-pièce de 3 cm de diamètre.

05

Pâte de citron au céleri
Dans une casserole, mélangez 1 c. à s. de pâte de citron avec la purée de céleri. Salez et maintenez au chaud.

06

Féra
Taillez les filets de féra avec leur peau dans la longueur, en faisant des bandes de 1 cm d'épaisseur. Vous devez obtenir 4 bandes par filet. Rassemblez-les par deux, la peau à l'extérieur. Disposez-les sur des assiettes plates et passez-les 1 min sous le gril du four.

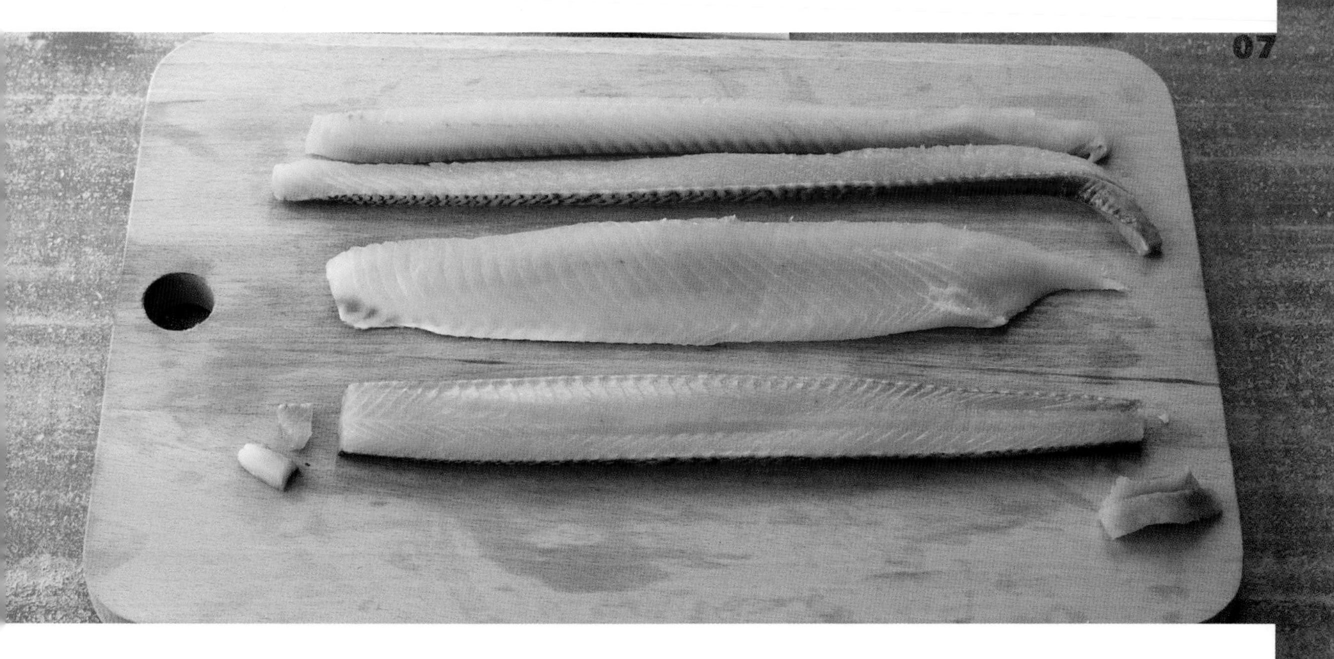

07

Dressage
Servez chaque filet de féra avec un trait de pâte de citron au céléri et des cercles de meringue citron. Parsemez de quelques grains de sel de Maldon* et d'un peu de thé vert Matcha en poudre. Décorez de quelques fleurs de persil.

08

Attention à la cuisson, quelques secondes en trop et la féra se transforme en carton car sa chair est très fine. La poudre de thé Matcha rappelle une saveur iodée.

PIGEON FERMIER FUMÉ,
PURÉE CHOU-RAVE/NOISETTE, POMMES SOUFFLÉES

Une recette d'automne par excellence, qui rappelle le parfum des montagnes lorsque les températures baissent... : cheminée, bois, foin, genièvre. Avec le chou-rave et la noisette, un mariage de saveurs délicat.

RECETTE

Pour 4 personnes – Préparation : 1 h – Cuisson : 1 h 10

Vin

Mondeuse tradition, domaine Prieuré Saint-Christophe de Michel Grisard, 2009.

PIGEON FUMÉ ET POCHÉ

- ❒ 2 pigeons fermiers
- ❒ 500 g d'écorces d'épicéa
- ❒ 50 g de beurre
- ❒ 2 cl d'huile

BOUILLON DE BOIS ET DE FOIN

- ❒ 100 g de copeaux d'épicéa torréfiés*
- ❒ 1 poignée de foin

PURÉE CHOU-RAVE/NOISETTE

- ❒ 400 g de chou-rave
- ❒ 200 g de noisettes

POMMES SOUFFLÉES

- ❒ 1 kg de pommes de terre non lavées
- ❒ 4 l d'huile neutre

JUS DE PIGEON AU GENIÈVRE

- ❒ 20 cl de jus de pigeon (voir p. 106)
- ❒ Quelques baies de genièvre

DRESSAGE

- ❒ 10 g de poudre de noisette
- ❒ Sel

Pigeon fumé
Faites fumer le pigeon dans un cuit-vapeur : enfumez les écorces d'épicéa dans la partie faitout, posez le pigeon sur le panier vapeur et couvrez. Laissez fumer 20 min.

01

Bouillon de bois et de foin
Faites bouillir 2 l d'eau avec le bois et le foin.

02

Pigeon poché
Lorsque le bouillon est à frémissement, plongez le pigeon et laissez-le pocher* environ 20 min dans le liquide frémissant mais pas bouillant.

03

Purée chou-rave/noisette
Lavez et épluchez le chou-rave en enlevant la première peau. Coupez-le en morceaux puis faites-les cuire à la vapeur pendant 15 min. Mixez-les au blender jusqu'à obtenir une texture bien lisse.

04

Préchauffez le four à 180 °C (th. 6). Faites torréfier* les noisettes au four à 180 °C pendant 3 min. Laissez-les refroidir puis mixez-les bien pour former une pâte liquide et assez lisse.

Mélangez le chou-rave avec 1 c. à c. de purée de noisette.

05

06

Pommes soufflées

Ne lavez pas les pommes de terre. Avec un couteau d'office, enlevez complètement une bande de peau de pomme de terre sur la longueur de manière très régulière : il ne doit pas y avoir de trace de couteau visible. Taillez un côté de la pomme de terre en enlevant complètement la partie avec la peau.

07

À l'aide d'une mandoline, réalisez des lamelles de pomme de terre de 2 mm, puis déposez-les sur un linge propre.

Dans un faitout, faites chauffer l'huile jusqu'à ce qu'elle atteigne 140 °C. Ajoutez alors les lamelles de pommes de terre et remuez le faitout afin que les lamelles s'entrechoquent, en prenant garde de ne pas vous brûler. Sortez-les à l'aide d'une écumoire* et mettez-les sur une grille.

C'est le premier bain d'huile à 140 °C qui est déterminant pour réussir les pommes soufflées : il est important de bien les faire s'entrechoquer.

Portez l'huile à 190 °C, puis plongez les lamelles de pomme de terre quatre par quatre. Arrosez-les bien d'huile chaude afin qu'elle soufflent, et continuez jusqu'à ce qu'elles soient bien dorées.

10

Jus de pigeon au genièvre
Concassez les baies de genièvre au couteau et faites-les chauffer avec le jus de pigeon pendant 5 min, puis filtrez.

11

Dans le deuxième bain d'huile à 190 °C, faites-les bien dorer, car dans le cas contraire elles retomberaient une fois dehors.
Pour faire le jus de pigeon, réalisez la recette du jus de volaille (voir p. 106) avec des carcasses de pigeon.

Pigeon poêlé
Faites chauffer 1 c. à s. d'huile neutre et 1 c. à c. de beurre dans une sauteuse, puis faites dorer les pigeons sur toutes les faces pendant 5 min. Posez-les sur une planche à découper.

12

Coupez les cuisses du pigeon et enlevez le bout de la patte. Levez les filets avec un couteau désosseur en suivant l'os du coffre, au milieu de la poitrine.

Dressage
Déposez une cuillère de purée de chou-rave/noisette et dessinez un trait à la cuillère. Dressez autour un filet et une cuisse de pigeon et assaisonnez de sel et de poudre de noisette. Servez avec les pommes soufflées à côté et le jus de pigeon au genièvre dans un petit pot.

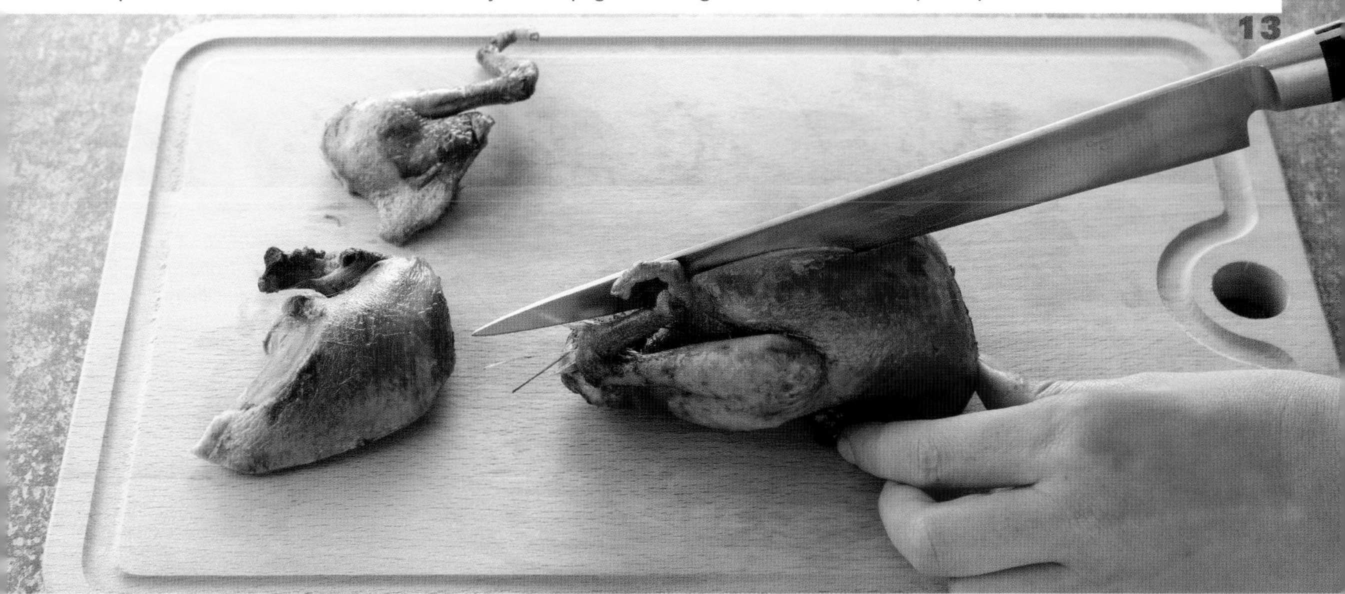
13

COMME UN TABLEAU : HERBES DES JARDINS ET DES PRÉS, CHARTREUSE VERTE ET JAUNE

Amoureux et collectionneur de chartreuses depuis presque 30 ans, j'ai à la carte des desserts qui en sont parfumés toute l'année. Mais celui-ci est le plus emblématique de ma cuisine puisqu'il réunit tout ce que j'aime : chartreuse verte, jaune et herbes sauvages...

RECETTE

Pour 6 personnes – Préparation : 1 h 15 – Repos : 12 h + 2 h

Vin

Chartreuse, cuvée « Reine des liqueurs ».

SIROP D'HERBES

- ❒ 375g d'eau
- ❒ 375g de sucre semoule
- ❒ 100g d'herbes : sauge, origan, armoise*, mélisse, sauge, ache*, serpolet, fleur de sureau, menthe, origan, arquebuse*, etc.

SABAYON

- ❒ 320g de crème liquide
- ❒ 4 jaunes d'œufs (80g)
- ❒ 250g de sirop d'herbes
- ❒ 10g de Chartreuse verte ou jaune selon votre goût

FLOCAGE CHOCOLAT (OU POUDRE DE CACAO, VOIR P. 90)

- ❒ 400g de chocolat noir
- ❒ 300g de beurre de cacao

SAUCE CHARTREUSE

- ❒ 10g de chartreuse verte
- ❒ 10g de chartreuse jaune
- ❒ 500g de sirop d'herbes
- ❒ 5g d'agar-agar*

HERBES CRISTALLISÉES

- ❒ Herbes du jardin (mélisse, menthe verte, sauge, ache des montagnes*, etc.)
- ❒ 50g de sucre semoule
- ❒ 2 blancs d'œufs (60g)

CHARTREUSE
Produce of France
CHARTREUSE

Sirop d'herbes
La veille, versez l'eau et le sucre semoule dans une casserole et portez à ébullition. Hors du feu, ajoutez les herbes et laissez infuser* jusqu'à refroidissement. Passez au chinois* et réservez au frais.

01

Sabayon
Le jour même, montez* la crème au batteur et réservez-la au frais. Fouettez les jaunes d'œufs dans le bol du robot. Faites bouillir le sirop aux herbes préparé la veille, puis versez-le bouillant sur les jaunes. Fouettez l'ensemble jusqu'à ce qu'il refroidisse.

02

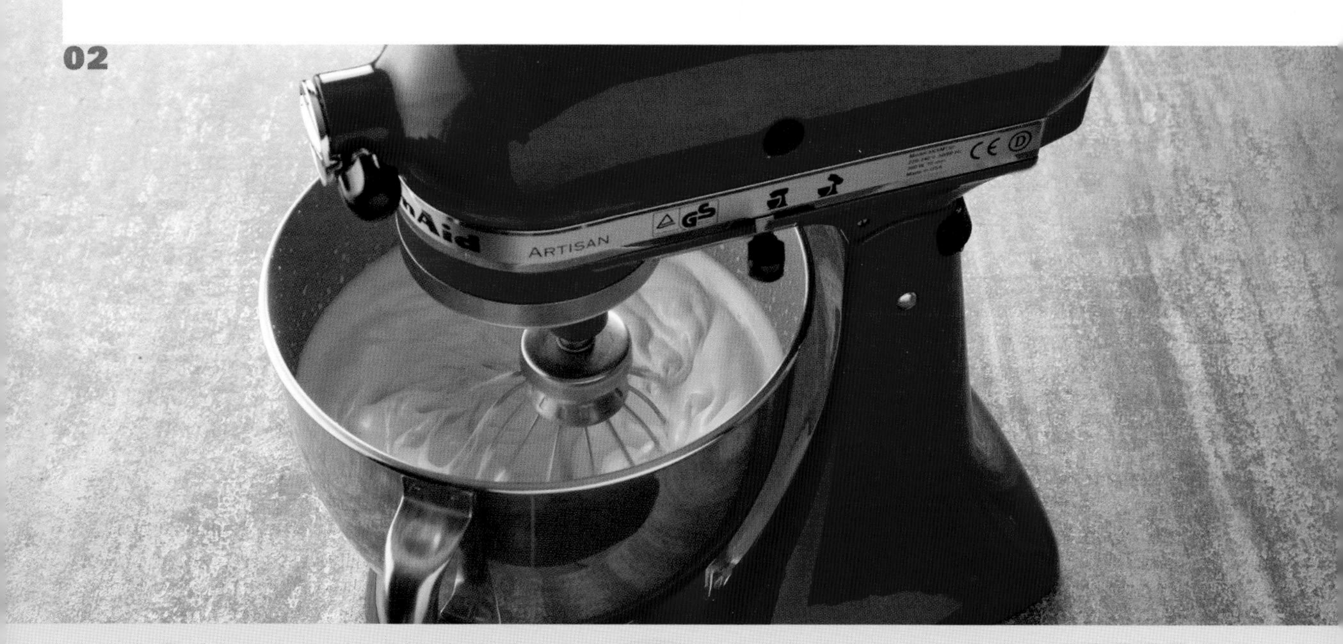

Le goût de votre sirop dépendra des herbes que vous choisirez ou qui seront à votre disposition (mélisse, menthe, fleur de sureau, origan, armoise, arquebuse*, etc.)*

Ajoutez la chartreuse et la crème fouettée, et mélangez.

Versez 680 g de cet appareil dans un cadre en inox de 60 x 40 cm et laissez prendre au congélateur.

Détaillez des carrés de 17 x 17 cm, puis remettez au congélateur.

Pour obtenir la même couleur qu'au restaurant, vous pouvez ajouter 1 goutte de colorant vert, ou 1 c. à c. de purée d'herbes.

Flocage chocolat
Dans une casserole, faites fondre le chocolat noir avec le beurre de cacao à 35 °C. Débarrassez le tout dans un pistolet à chocolat, puis pulvérisez sur les carrés en utilisant 3 pochoirs en forme de cercle de différentes tailles. Réservez au congélateur.

06

Sauces chartreuse
Dans une casserole, versez le sirop d'herbes, la chartreuse jaune et ajoutez la moitié de l'agar-agar*. Portez à ébullition. Lorsque le mélange bout, retirez la casserole du feu et réservez au frais. Réalisez la même opération pour la sauce verte, en utilisant de la chartreuse verte.

07

Si vous n'avez pas de pistolet à peinture, vous pouvez remplacer le flocage chocolat en saupoudrant tout simplement les carrés avec les pochoirs de poudre de cacao.
Pour renforcer les couleurs des sauces, vous pouvez ajouter respectivement 1 goutte de colorant jaune et vert.

Herbes cristallisées
Lavez les feuilles et faites-les sécher. Pendant ce temps, battez légèrement les blancs d'œufs jusqu'à ce qu'ils soient mousseux. Badigeonnez légèrement les feuilles de blanc d'œuf battu au pinceau, puis recouvrez-les entièrement de sucre. Réservez-les à l'air libre afin de les laisser sécher.

Dressage
Quelques minutes avant de servir, disposez un carré au centre d'une assiette plate, puis décorez avec des gouttes de sauce chartreuse verte et jaune et les herbes cristallisées.

TARTE
AU CHOCOLAT BOIS

Toute l'originalité de ce dessert - devenu phare aux Flocons de Sel - réside dans l'association peu commune de saveurs sucrées (chocolat) avec les saveurs fumées (chocolat fumé) et boisées (glace et meringue).

RECETTE

POUR 6 PERSONNES – **Préparation : 1 h 30 – Cuisson : 3 h + 13 min – Repos : 12 h**

VIN

Chignin-Bergeron « Baobab », domaine Louis Magnin, 2008.

LAIT AU BOIS

- ❒ 90cl de lait
- ❒ 30g de copeaux d'épicéa torréfié*

GLACE AU BOIS

- ❒ 300g de lait au bois
- ❒ 30g de crème liquide
- ❒ 3 jaunes d'œufs (60g)
- ❒ 50g de sucre semoule

POUDRE AU BOIS

- ❒ 600g de lait au bois
- ❒ 25g de sucre glace

MERINGUE FUMÉE AU BOIS

- ❒ 1 blanc d'œuf (30g)
- ❒ 15g d'eau de bois (voir p. 106)
- ❒ 30g de sucre semoule
- ❒ 30g de sucre glace

MOUSSE CHOCOLAT

- ❒ 100g de chocolat noir
- ❒ 200 g d'écorces d'épicéa
- ❒ 20g de beurre
- ❒ 2 jaunes d'œufs (80g)
- ❒ 40g de sucre semoule
- ❒ 3 blancs d'œufs (100g)

DISQUE CHOCOLAT

- ❒ 60g de chocolat noir
- ❒ 60g de chocolat blanc

PÂTE SUCRÉE

- ❒ 100g de beurre
- ❒ 55g de sucre glace
- ❒ 4 jaunes d'œufs (80g)
- ❒ 250g de farine
- ❒ 2g de sel

Lait au bois

La veille, portez le lait à ébullition, puis versez-le sur le bois et laissez infuser* 12 h à couvert au frais.

01

Glace au bois

Le jour même, versez 30 cl de lait infusé et la crème dans une casserole et portez à ébullition. Dans un saladier, faites blanchir* les jaunes avec le sucre semoule.

02

Dès que l'appareil lait-crème bout, versez-le sur les jaunes blanchis puis remettez le tout dans la casserole et faites cuire à la nappe*. Passez la préparation au chinois* et laissez prendre en sorbetière jusqu'à obtenir une texture moelleuse.

03

Poudre bois
Mélangez 60 cl de lait au bois et le sucre glace, puis mettez à congeler, en grattant régulièrement à la fourchette.

04

Si vous avez un Thermomix®, vous pouvez également y pulvériser la glace de bois juste avant de servir.

Meringue fumée au bois
Préchauffez votre four à 70 °C (th. 2). Dans la cuve d'un batteur muni du fouet, montez* les blancs d'œufs avec l'eau de bois et le sucre semoule. Ajoutez ensuite le sucre glace délicatement sans cesser de battre.

Étalez une couche de 1 cm d'épaisseur de cette préparation sur une plaque de cuisson recouverte d'un tapis en silicone et enfournez. Laissez cuire 3 h, puis cassez-la en morceaux.

05

06

Mousse chocolat
Faites fumer le chocolat dans un cuit-vapeur : enfumez les écorces d'épicéa dans la partie faitout, posez le chocolat sur le panier vapeur et couvrez. Laissez fumer 15-20 min.

07

Dans une casserole, faites fondre le chocolat avec le beurre à 35 °C. Mélangez les jaunes avec 5 g de sucre dans une casserole. Laissez cuire jusqu'à ce que le mélange devienne mousseux, faites-le refroidir au batteur, puis mélangez-le au chocolat.

Dans la cuve d'un batteur muni du fouet, faites monter* les blancs d'œufs avec 35 g de sucre. Incorporez délicatement le sabayon chocolat à l'aide d'une maryse. Laissez reposer à température ambiante.

Disque chocolat

Tablez le chocolat noir : faites-le fondre dans une casserole jusqu'à ce qu'il atteigne 50/55 °C, puis faites redescendre la température à 28/29 °C en le plaçant dans un bain-marie froid, enfin, faites remonter la température à 31/32 °C. À l'aide d'un pinceau, étalez très finement le chocolat noir sur une feuille Rhodoïd®* de manière à ce que des « fils » soit visibles, et laissez refroidir.

Tablez le chocolat blanc : faites-le fondre dans une casserole jusqu'à ce qu'il atteigne 40/45 °C, puis faites redescendre la température à 26/27 °C en le plaçant dans un bain-marie froid, enfin, faites remonter la température à 28/29 °C. Appliquez une couche de chocolat blanc à la spatule par dessus le chocolat noir, et laissez figer un peu.

11

Détaillez alors des disques de chocolat avec un emporte-pièce de 8 cm de diamètre.

12

Pâte sucrée
Préchauffez le four à 150 °C (th. 5). Travaillez le beurre jusqu'à ce qu'il devienne pommade. Mettez-le dans un robot ménager muni de la feuille ou dans un saladier. Ajoutez le sucre glace, puis les jaunes d'œufs. Mélangez jusqu'à l'obtention d'une pâte bien lisse. Ajoutez la farine et le sel sans trop travailler. Arrêtez de mélanger dès que l'appareil est homogène. Étalez la pâte finement à 3 mm d'épaisseur et réservez au frais quelques instants.

13

Foncez* finement les tartelettes dans des moules de 8 cm de diamètre. Faites-les cuire en posant un deuxième moule par dessus pendant 10 min environ. Augmentez la température du four à 170 °C (th. 6). Garnissez les tartelettes de mousse au chocolat et faites-les cuire 3 min. Servez avec une quenelle de glace bois, la meringue et le granité de lait fumé. Surmontez les tartes chaudes des disques de chocolat blanc et noir.

14

Pour retirer l'excédent de pâte de manière bien nette, posez un autre moule à tartelette sur la pâte, et passez la pointe d'un couteau pour enlever la petite bande qui dépasse.
Pour réaliser des « traces de bois » au fond de l'assiette, vous pouvez faire des traits d'extrait de café avec un pinceau.

GLOSSAIRE

A

ACHE DES MONTAGNES
L'ache des montagnes, ou livèche, est une plante herbacée cultivée pour ses feuilles et ses graines. Son goût - bien que plus relevé - rappelle celui du céleri.

ACHILLÉE
Plante vivace dont on recense une centaine de variétés, la plus répandue étant l'achillée millefeuille. Elle peut être consommée en salade ou en potage et est parfois utilisée dans des pâtisseries et des liqueurs.

AGAR-AGAR
Extrait d'algue servant à gélifier un liquide.

ARMOISE
Plante aromatique vivace dont l'aspect rappelle celui de l'absinthe. Répandue dans toute l'Europe, l'armoise pousse principalement sur les terrains incultes, le long des cours d'eau ou des voies ferrées. Ses sommités fleuries, ses feuilles et l'huile essentielle qu'elles contiennent sont réputées pour leurs propriétés phytothérapiques.

ARQUEBUSE
Autrement appelée Aurone, l'arquebuse est une plante aromatique vivace dont les feuilles dégagent une forte odeur de citron. On l'utilise principalement en liqueur, ou pour relever le goût de certaines vinaigrettes. En infusion, elle a des vertus digestives incontestables.

B

BLANCHIR
Plonger rapidement un produit dans de l'eau bouillante.

BRUNOISE
Couper un aliment en petits dés.

C

CHINOIS
Passoire métallique en forme de cône.

COURT-BOUILLON
Bouillon aromatisé servant à cuire le poisson ou les crustacés.

CUIRE À LA NAPPE
Cuire une préparation jusqu'au moment ou elle nappe une spatule sans couler sur les côtés.

E

ÉCUMOIRE
Petit ustensile utilisé pour retirer les dépôts formés sur le dessus de certains liquides.

ÉMINCER
Tailler en tranches, en rondelles ou en lamelles plus ou moins minces, au couteau ou avec une mandoline.

ÉQUEUTER
Retirer la queue d'un fruit, d'un légume ou d'une feuille.

F

FONCER
Garnir un moule avec une pâte.

I

INFUSER
Plonger un élément aromatique dans un liquide chaud et laisser à couvert afin que celui-ci se charge de ses arômes.

L

LIERRE TERRESTRE

Herbe vivace de la famille des Labiées abondante en toute saison. Reconnaissable grâce à ses tiges couchées et rampantes, le lierre terrestre dégage un parfum très particulier et a un goût amer propice aux infusions. On peut également consommer cette plante crue, en condiment ou dans des salades.

M

MONTER

Fouetter un élément ou une préparation afin d'y incorporer de l'air et d'augmenter ainsi son volume.

O

OXALIS

L'oxalis est un genre qui regroupe plusieurs espèces de plantes vivaces et généralement tubéreuses. Les tubercules des espèces les plus répandues sont comestibles et ont un subtil goût acide.

P

POCHER

Faire cuire un aliment dans un liquide chaud, ou bien former à la poche à douille.

R

RÉDUIRE

Cuire à découvert pour diminuer le volume d'un liquide de cuisson.

REINE-DES-PRÉS

Plante herbacée de la famille des Rosacées. On la trouve principalement dans des lieux humides comme les prairies marécageuses ou le long des cours d'eau. Comestibles, ses sommités fleuries et ses feuilles dégagent un agréable parfum et possèdent de nombreuses vertus thérapeutiques.

RHODOÏD®

Fines feuilles de plastique utilisées pour chemiser un moule ou un cercle, ou encore pour donner de la brillance au chocolat.

ROUX

Mélange de farine et de beurre utilisé pour lier une sauce.

S

SEL DE MALDON

Fleur de sel d'origine anglaise, blanche, fine et très iodée.

SHISO

Plus communément appelé perilla, le shiso est une plante appartenant à la famille des Lamiacées originaire de l'Asie du Sud-Est. Ses feuilles peuvent être consommées fraîches en salade, cuites en légumes, en condiments ou en aromates. Elles permettent également de faire de très bons sorbets. On lui attribue des propriétés antiseptiques et réparatrices.

SUER

Soumettre un aliment à une chaleur douce, dans un corps gras, afin d'éliminer une partie de son eau.

T

TAGETE

Genre de plantes à fleurs odorantes en capitules jaunes ou orange telles que l'œillet d'Inde ou la rose d'Inde.

TAMIS

Ustensile en forme de cercle, muni d'une toile métallique fine, il sert à passer une préparation pour la rendre fine et sans impuretés.

TORRÉFIER

Faire griller à sec une graine ou un fruit sec pour enlever toute son eau.

RECETTES DE BASE

COULIS D'HERBES

- 100g d'épinards
- 100g de persil plat

Faites chauffer une casserole d'eau. Salez-la puis jetez les feuilles d'épinard pour les blanchir*. Sortez-les à l'écumoire* et plongez-les directement dans un bain d'eau froide. Mixez-les avec le persil et un peu de jus de cuisson des épinards.

VINAIGRE DE SARRIETTE

- 25cl de vinaigre blanc
- 100g de sucre
- 1 gros bouquet de sarriette
- 20g de Maïzena®

Faites chauffer le vinaigre blanc avec le sucre jusqu'à ébullition. Ajoutez la sarriette en bouquet et laissez infuser* 1h. Filtrez le jus, faites-le chauffer à nouveau et liez-le en le mélangeant au fouet avec la Maïzena®.

JUS DE VOLAILLE

- 400 g d'ailerons ou de carcasses de volaille
- 1 c. à c. d'huile de tournesol
- 1 carotte
- 1/2 oignon
- 1 petite tomate
- Quelques queues de persil

Concassez les ailerons ou les carcasses de volaille en petits morceaux. Faites chauffer une cocotte en fonte avec l'huile. Lorsqu'elle est bien chaude, ajoutez les carcasses et faites-les bien colorer.
Épluchez la carotte et l'oignon, lavez la tomate, coupez-les en dés et ajoutez-les dans la cocotte. Faites bien suer* et caraméliser le tout avant d'ajouter un peu d'eau. Laissez réduire*, puis ajoutez le persil et mouillez d'eau à hauteur des ingrédients.
Faites cuire à frémissement pendant 1h, en dégraissant à la surface si nécessaire. Passez au chinois*.

BOUILLON DE LÉGUMES

- 5 carottes
- Queues de persil

Épluchez, lavez les carottes et émincez*-les très finement.
Mettez-les dans une casserole avec les queues de persil. Ajoutez 2l d'eau, couvrez et portez à ébullition. Laissez cuire pendant 20 min. Hors du feu, laissez infuser* 1h. Passez au chinois*.

EAU DE BOIS

- 50cl d'eau
- 200g bois d'épicéa torréfié*

Mettez l'eau à chauffer dans une casserole, puis ajoutez le bois à ébullition. Laissez infuser* pendant 15 min. Filtrez l'eau de bois à l'aide d'un chinois*.

PAIN DE MIE

- 1kg de farine
- 30g de levure
- 20g de sel
- 4g de sucre
- 575g d'eau
- 100g de beurre

Mettez tous les ingrédients dans la cuve du robot pâtissier avec le crochet. Mettez à tourner et arrêtez quand la pâte se décolle de la cuve. Beurrez un moule à pain de mie de 25 cm x 10 cm. Façonnez la pâte en boules de 220g, beurrez le moule, mettez 3 boules dans le moule, et laissez pousser 45 min dans un endroit chaud.
Faites préchauffer le four à 180°C (th. 6). Une fois la pâte bien poussée (elle doit dépasser du moule), faites cuire pendant 35 min.

PURÉE DE CÉLERI

- 1 petit céleri-boule
- 2 poireaux
- 1 c. à s. de jus de citron
- Sel

Épluchez le céleri-boule, coupez-le en morceaux, puis faites-le cuire à la vapeur pendant 15 min. Pendant ce temps, ôtez le vert des poireaux, coupez le blanc en deux puis émincez*-le finement. Faites-les cuire également à la vapeur pendant 10 min.
Une fois les deux légumes cuits, mixez-les séparément en purée bien lisse, passez au tamis* et mélangez les deux purées. Assaisonnez avec le jus de citron et un peu de sel.

BISQUE D'ÉCREVISSE

- 300g d'écrevisses
- 30g huile d'olive
- 2 carottes
- 2 oignons
- 1/2 orange
- Queues de persil
- 3 tomates bien mûres
- 10g cognac
- 5g de poivre en grains
- 1 badiane
- 30g de concentré de tomate

Concassez les écrevisses. Faites chauffer l'huile d'olive dans une cocotte. Ajoutez les écrevisses concassées et faites-les bien colorer.
Pendant ce temps, épluchez et taillez la garniture aromatique en gros dés : carottes, oignons, orange et queues de persil. Coupez les tomates en quatre.
Flambez les carcasses d'écrevisse avec le cognac.
Ajoutez la garniture aromatique, mouillez à l'eau froide juste un peu au dessus du niveau des carcasses puis ajoutez le poivre, la badiane et le concentré de tomate. Laissez cuire pendant 1h30 à feu doux, puis filtrez au chinois*.

RECETTES DE BASE

PÂTE FEUILLETÉE (POUR 500 G ENVIRON)

DÉTREMPE

- ❒ 100g d'eau
- ❒ 6g sel
- ❒ 25g de sel
- ❒ 160g de farine

BEURRE MANIÉ

- ❒ 160g de beurre
- ❒ 60g de farine

Préparez la détrempe et le beurre manié en mélangeant tous les ingrédients de chaque préparation au robot pâtissier muni de la feuille. Laissez reposer au frais quelques minutes.
Étalez un long rectangle de beurre manié.
Étalez un rectangle de détrempe plus petit, équivalent aux deux tiers du beurre manié. Posez le rectangle de détrempe sur celui du beurre manié, au milieu.
Étalez et faites un tour double : repliez le beurre manié de manière à recouvrir complètement la détrempe, puis pliez en deux. Mettez dans un linge au frais et laissez reposer 20 min.
Réalisez un autre tour double : tournez la pâte d'un quart de tour, étalez-la en un long rectangle, repliez les bords puis pliez en deux.
Remettez à reposer au frais dans le linge encore 20 min.

CARNET D'ADRESSES EMMANUEL RENAUT

WWW.FLOCONSDESEL.COM

FLOCONS DE SEL

FLOCONS DE SEL – HÔTEL ET RESTAURANT
1775, ROUTE DU LEUTAZ
74120 MEGÈVE
TÉL : +33 (0)4 50 21 49 99
CONTACT@FLOCONSDESEL.COM

LE SPA DU FLOCONS DE SEL
1775, ROUTE DU LEUTAZ
74120 MEGÈVE
+33 (0)4 50 21 49 99

FLOCONS VILLAGE
75, RUE SAINT-FRANÇOIS
74120 MEGÈVE
TÉL : +33 (0)4 50 78 35 01

BOUTIQUE

FLOCONS DE VIN
69, RUE SAINT-FRANÇOIS
74120 MEGÈVE
TÉL : +33 (0)9 64 31 14 49
FLOCONSDEVINS@GMAIL.COM

BOCO

LES FRÈRES FERNIOT ONT LANCÉ EN 2010 UN NOUVEAU CONCEPT DE BISTROT RAPIDE PROPOSANT DES RECETTES BIO EN BOCAUX IMAGINÉES PAR DES CHEFS ÉTOILÉS. CHAQUE SAISON, EMMANUEL RENAUT SIGNE DES RECETTES AUX SAVEURS DES ALPAGES.

BOCO OPÉRA
3, RUE DANIELLE CASANOVA
75001 PARIS
01 42 61 17 67
OUVERT DE 11H À 22H
DU LUNDI AU SAMEDI

BOCO BERCY VILLAGE
45, COURS SAINT-ÉMILION
75012 PARIS
01 46 28 96 60
OUVERT DE 11H À 22H30
DU LUNDI AU DIMANCHE

BOCO SAINT-LAZARE
5 BIS, RUE DU ROCHER
75008 PARIS
01 45 22 68 42
OUVERT DE 11H À 20H
DU LUNDI AU VENDREDI
WWW.BOCO.FR

INDEX DES PRODUITS

REMERCIEMENTS

Merci à mon épouse Kristine, mes fournisseurs et amis, mes clients qui me suivent depuis le début. Merci à mes équipes de cuisine, de service, de sommellerie et à toutes les personnes de l'hôtel.

REMERCIEMENTS DE LA PHOTOGRAPHE

Ah ! Il faut le suivre au petit matin, l'homme des plaines du nord devenu homme des montagnes en quête des premiers cèpes. Humant l'air des sous bois, son œil laser captant le moindre signe de ces petites merveilles de la nature.
Merci à Emmanuel, notre chef étoilé des montagnes et des bois, pour ce séjour à 300 km/h, ébouriffant, palpitant, envoûtant, passionnant et subtilement gourmand.
Un très grand merci aussi à sa femme, Kristine et à toute son équipe pour l'accueil chaleureux et leur disponibilité.
Merci à Alice et Eglantine, notre équipe éditoriale de choc, pour leur confiance, leur aide précieuse, et leur enthousiasme.

REMERCIEMENTS DE L'ÉDITEUR

Un immense merci à Emmanuel Renaut et à toute son équipe pour la chaleur et la générosité avec lesquelles ils nous ont reçues aux Flocons de Sel. Ils nous ont permis de travailler dans un environnement magique : nous sommes rentrées la tête pleine d'émotions gastronomiques et de jolis souvenirs de montagne... Longue vie aux Flocons de Sel !

L'Editeur remercie chaleureusement :
– Kitchen Aid - www.kitchenaid.com
– Cristel - www.cristel.com
Merci à Jessica Rostain pour son aide précieuse.

L'abus d'alcool est dangereux pour la santé, à consommer avec modération.

Imprimé sur du papier FSC provenant de bois gérés de manière responsable.

DIRECTEUR DE COLLECTION
Emmanuel Jirou-Najou

RESPONSABLE ÉDITORIALE
Alice Gouget

ÉDITRICE
Églantine André-Lefébure

PHOTOGRAPHIES
Rina Nurra
©Thomas Deron pour Boco, p. 111.

DIRECTION ARTISTIQUE
Pierre Tachon

CONCEPTION GRAPHIQUE
Soins graphiques
Merci à Sophie Brice

PHOTOGRAVURE
Nord Compo

RESPONSABLE MARKETING ET COMMUNICATION
Camille Gonnet
camille.gonnet@alain-ducasse.com

Imprimé en CE
ISBN 978-2-84-123-612-1
Dépôt légal 4e semestre 2013

84, avenue Victor Cresson
92130 Issy-les-Moulineaux
www.alain-ducasse.com/fr/les-livres

CAPE COD

AND THE ISLANDS

AMERICA SERIES

Text by Tanya Lloyd Kyi
Edited by Elaine Jones
Photo editing by Tanya Lloyd Kyi
Proofread by Lisa Collins
Cover and interior layout by Jacqui Thomas

Printed and bound in China.

Library of Congress Control Number: 2013945117
ISBN: 9781940416038

For more information on the America Series titles, please visit Midpoint Trade Books at www.midpointtrade.com.

Cape Cod is a strip of wind-swept land that curls into the Atlantic, separated from the Massachusetts mainland by a canal. It's a land steeped in stories of shipwrecked sailors and marauding pirates, whaling ship captains and lightkeepers, vacationing presidents and artists on retreat.

The Cape was formed in an ice age 22,000 years ago. Giant walls of ice descended from the continent toward the Atlantic, pushing layers of rocky debris before them. This debris formed the peninsula and the islands of Martha's Vineyard and Nantucket to the south. In the eras since, waves have sculpted offshore shoals and shallows so treacherous that dozens of ships lie beneath the waters. Ocean winds sweep over rolling dunes, rugged bluffs, white sand beaches, and cliffs hundreds of feet high.

It was this landscape that the Pilgrims sighted in 1620 at the end of their Atlantic crossing. They sailed around the northern tip of the Cape and landed in the protected harbor now known as Provincetown. After exploring the region, they chose Plymouth as their new home and drafted the Mayflower Compact, a list of rules for governing their New World colony. The Wampanoag native people who lived along the shores showed the new arrivals how to farm, how to fish and hunt, how to harpoon a whale. Soon, there were villages in bays all along the Cape. As the commercial fishing and whaling industries boomed, sea captains' homes sprang up along the shores and canneries lined the harbors.

When petroleum replaced whale oil in the lamps of the world, the whaling industry began its long decline. Yet the buildings of Cape Cod's first heyday—the Victorian homes with their widow's walks, the fishers' shacks, and the grist mills—survive today. These historic sites, together with the endless white sand beaches, the natural heritage preserved by Cape Cod National Seashore, and the shops and artists' galleries that line the quaint village streets, draw tens of thousands of visitors to the area each summer. And so Cape Cod enjoys a second era of prosperity, this time as artists' retreat and vacationers' paradise.

Henry David Thoreau called Cape Cod "the bared and bended arm of Massachusetts." Along that thin arm, the shoreline ranges from rocky cliffs and barren, windswept beaches to sheltered coves perfect for sunbathing. Inland, about 365 freshwater ponds, legacies of the last ice age, support teeming communities of plant and animal life.

Mayflower II is a full-scale replica of the ship that carried the Pilgrims to New England. It is moored at the Plymouth waterfront and open to the public from April to November.

Even though it's on the mainland, no visit to Cape Cod would be complete without a trip to Plymouth. When the Pilgrims settled in Plymouth in 1620, they founded the first permanent European settlement in New England.

Plymouth Rock—the legendary stone where Pilgrims took their first steps in the New World—is no longer in its original state. The rock broke in 1774 when preservationists tried to remove it from the beach, and it broke again in 1921 en route to its new home along the Plymouth waterfront. The patched-up memorial bears the carving "1620," the date the Pilgrims landed.

An artificial platform offers a safe nesting place for this osprey, one of the species protected by the 2,500-acre Waquoit Bay National Estuarine Research Reserve near Falmouth. Other species that find refuge within the ocean waters and wetlands of the park include herons, mute swans, eels, scallops, clams, and blue crabs.

The Pilgrims wrote of the advantages of a canal between Buzzards Bay and Cape Cod Bay. George Washington considered building one also. But it wasn't until 1907, when financier Augustus Belmont's crews began digging, that the vision became reality. Today, most visitors to the Cape cross the 480-foot-wide waterway (the widest sea-level canal in the world) on one of several bridges.

The panoramic views from Sandwich's boardwalk are not its only attraction. After a 1991 hurricane destroyed the boardwalk that previously connected the town to the nearby beach, residents contributed planks to build a new one. Each board bears a personal message from its donor.

A carved wooden lobster-man welcomes guests to a home in Woods Hole. This charming harbor town serves both as a gateway to Martha's Vineyard (ferries cross Vineyard Sound to the island) and as a scientific center. Marine life research began here in 1871 and the community is now home to the Woods Hole Oceanographic Institution and laboratories of the United States Geological Survey.

Facing Page–
The Nobska Lighthouse bears a wreath for the holidays and for Falmouth's annual Christmas-by-the-Sea celebrations. The beacon was built in 1876, replacing an earlier 1828 tower. Though the lighthouse is now automated, the quaint keeper's quarters are inhabited by the local Coast Guard commander.

NOBSKA LIGHTHOUSE
Latitude 41 30' 54" N
Longitude 70 39' 20"

English settlers founded Barnstable in 1639. The harbor, traditionally lined with fishers' shacks and oyster warehouses, is now home to artists' shops as well. Potters and painters cater to visitors who wander the restored sea captains' houses and tour the cranberry bogs and salt marshes.

A conductor calls "all aboard" as this Cape Cod Central Railroad train prepares to depart. The railroad offers two-hour scenic tours and luxury dinner train excursions— journeys along the shores of the Cape and through time—to the region's last century, when passenger trains ran regularly along these tracks.

FACING PAGE–
This private retreat nestled along the shores near Barnstable is one of many that dot Cape Cod. Ever since the railway arrived in the mid-1800s, offering convenient access to the Cape's beaches, summer visitors have made this an annual destination. Presidents Ulysses S. Grant and Grover Cleveland were some of the earliest vacationers.

To John F. Kennedy, Cape Cod was a place to sail, connect with family, and relax with friends. Featuring interviews, a retrospective narrated by Walter Cronkite, and more than 80 photographs of the Kennedy family between 1934 and 1963, the John F. Kennedy Hyannis Museum commemorates the role of Cape Cod in the life of the president.

It's no surprise that Dennis is a favorite summer destination: eight beaches lie to the north on Cape Cod Bay; another eight lie along Nantucket Sound to the south. The boardwalk from the street across the dunes of Mayflower Beach, pictured here, is just a few steps from town.

The port-side streets of Hyannis have long been home to oceangoers—more than 200 shipmasters owned homes here in the early 1800s. Today, summer ferries run daily to Nantucket and Martha's Vineyard. Whale-watching cruises operate out of the harbor, docking alongside pleasure yachts and sport fishing vessels.

The community of Brewster is named for Mayflower passenger and early settler William Brewster. A local antique shop offers remnants of Cape Cod's past, from whale oil lamps and fishing nets to silver and china.

FACING PAGE–
Settler Thomas Prence built Brewster's first grist mill in 1663. In 1873, two years after the original was destroyed by fire, another was built on the site—Stony Brook Grist Mill, which still stands today. Summer visitors can tour the facilities and grind corn in the historic machinery.

At low tide, clam diggers bend for hours over the sands of Cape Cod, some digging commercially and others looking for the main ingredient in a family chowder recipe. To comply with local laws, professional diggers dedicate some of their time to conservation—cleaning tidal flats or counting clam populations.

FACING PAGE–
Built by Benjamin Godfrey in 1797 and used commercially for almost a century, the Godfrey Grist Mill is still capable of grinding corn. Perched along Stage Harbor Road, the mill was damaged by storms in the 1900s, but the town of Chatham rescued the structure, moving it to Chase Park and using it to showcase this part of Cape Cod's history.

Birdwatchers and researchers have spotted more than 280 bird species within the 7,604-acre Monomoy National Wildlife Refuge. Seen here from Chatham's harbor, the preserve includes part of Morris Island as well as North and South Monomoy islands, accessible only by boat. Many of the birds that nest and summer here, including the rare piping plover, migrate south in the winter.

There are two ways to find cherrystones, also known as quahogs or littlenecks. Some rake the surface of the sand, turning up the shellfish just below. Others prefer to walk the beach in bare feet, feeling for slightly harder patches and digging for the shellfish by hand.

Facing Page–
Cape Cod boasts more than 150 fresh- and saltwater beaches. Some of the most popular surround the town of Chatham, where Nantucket Sound and the Atlantic buffet uncrowded sands. Those seeking true isolation choose the shores of North Beach, accessible only by boat.

Eastham was settled by the Pilgrims more than 350 years ago. Their small farms were followed by whaling and fishing enterprises, saltworks, and asparagus farms. Today the community is best known as a sunseekers' escape and a gateway to Cape Cod National Seashore.

FACING PAGE–
These herring gull eggs will hatch in 24 to 28 days. After about a month of care, the young birds will be ready to fend for themselves, scouring the shores for fish, dropping shellfish on the rocks to reveal the meat within, and following fishing boats in search of scraps.

A crowd gathers for a free evening concert in Orleans. This town has a more tumultuous history than most. During the War of 1812, residents fought off British troops who wanted to destroy the local saltworks. War struck again in 1918, when a German submarine sank several barges off the coast.

In 1656, William Nickerson traded the local Sachem Mattaquason people a small boat for the land that is now Chatham. Nickerson was the first to settle the area known as the "first stop of the east wind."

Eastham's beaches are popular with surfers as well as swimmers. Winds raise surf-perfect swells along the Atlantic year-round. When the summer tourists have disappeared, locals don their wet-suits and catch a few waves after work.

About 5 million people a year visit Cape Cod National Seashore, a 40-mile-long preserve on Cape Cod's Atlantic shore. The park highlights the diversity of the Cape's landscapes, from endless stretches of sand and rolling dunes to pine groves and saltwater marshes.

When President John F. Kennedy established Cape Cod National Park in 1961, it was the first preserve to include both pristine natural areas and residential neighborhoods. More than four decades later, hundreds of people, including residents of Wellfleet, Truro, and Provincetown, still live within park boundaries.

A former Coast Guard Station overlooks Nauset Marsh and Cape Cod National Seashore. Since the early 1800s, groups of volunteers kept watch over these waters, attempting to save shipwrecked sailors. The federal government established the US Life-Saving Service later in the century.

1,100 acres of salt marsh, beaches, and pine woodland can be found at the Wellfleet Bay Wildlife Sanctuary, an area protected by the Massachusetts Audubon Society. Beach plums, shown here, grow on low shrubs that thrive in the sandy soil of the region.

Marconi Beach, a crest of white sand along the Atlantic, lies near the site where Italian inventor Guglielmo Marconi built the first wireless station facing the Atlantic in 1903. Two years before, Marconi had successfully sent the first signal over the ocean. A reconstruction of his station and an observation tower now honor the inventor's achievements.

Marconi Beach is the administrative headquarters of Cape Cod National Seashore. From here, rangers patrol the parklands, naturalists track the park's wildlife, and historians speak of the geographical and human past of the region.

Storms battered the cliffs around Nauset Light for decades, tearing away the soil until only 37 feet remained between the beacon and the precipice. Local residents lobbied for the 1923 lighthouse to be saved and in 1996, it was moved 300 feet west, safely out of reach of the breakers.

Unique challenges face golfers at Highland Golf Links in North Truro. If they're not disturbed by the swift winds sweeping over the course, they may be distracted by a whale breaching offshore or by the panoramic views from the bluffs. One of the oldest golf clubs in the nation, Highland was established in 1892.

Only 30 percent of the pine barrens that once covered Massachusetts survive today, and environmentalists struggle to protect the barrens that remain on Cape Cod. These rich habitats of pitch pine and scrub oak host a wealth of life, including eastern box turtles and whip-poor-wills.

268901
SILVER MINK

The Pilgrims stopped in Provincetown in 1620, before moving on to Plymouth. This protected harbor then became a base for commercial fishing and whaling. When the whalers finally left in the early 1900s, Provincetown was reborn as an artists' community and vacation destination.

Home to about 4,000 people (who know it as "P-town"), Provincetown booms each summer, hosting up to 30,000 visitors. More than 100 inns and guesthouses cater to these arrivals, while downtown shops, eateries, and bars offer some of the Cape's most lively nightlife.

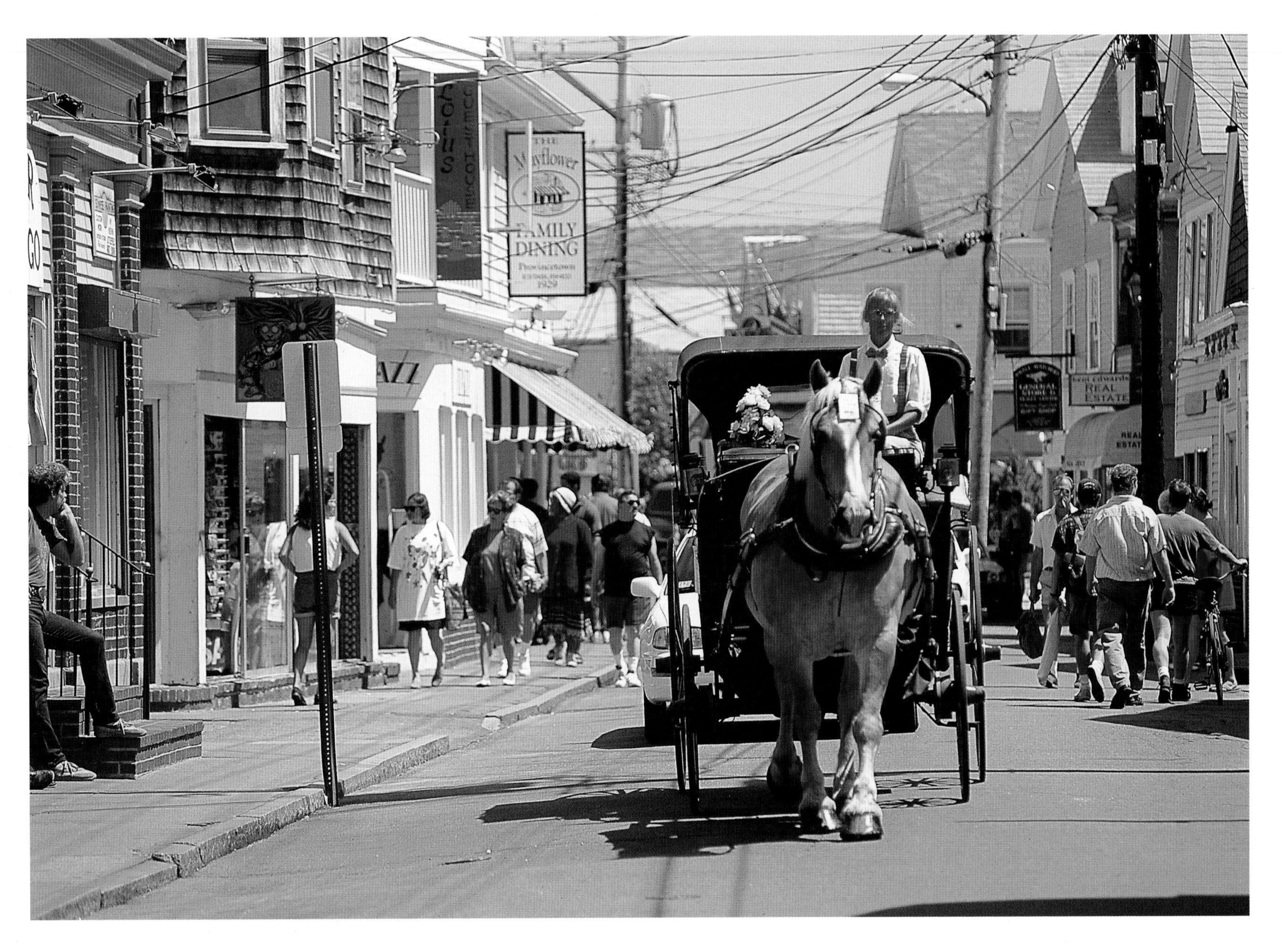

Portuguese fishermen were some of the first to permanently settle in Provincetown. Their legacy remains on Commercial Street, where Portuguese bakeries offer breads, pastries, and sweets to passersby.

BSTER
POT

President Theodore Roosevelt laid the cornerstone of the Pilgrim Monument on August 20, 1907. The tallest granite structure in America—252 feet high—the monument was built by the Cape Cod Pilgrim Memorial Association to honor the arrival of the Pilgrims in 1620. Visitors can climb 116 stairs and 60 ramps to the top.

FACING PAGE–
International eateries and contemporary bistros stand side-by-side with traditional lobster restaurants on Provincetown's streets. At the Lobster Pot, patrons enjoy harbor views while dining on fresh local seafood, steaks, and famous clam chowder.

There was no permanent settlement at Provincetown before the arrival of Europeans. The Wampanoag native people traveled here in summer months to fish the bountiful harbor. Viking ships are believed to have charted the waters, and pirates used the region's bays and coves as temporary hideouts.

FACING PAGE–
Abundant in the waters of Cape Cod, lobster used to be the food of the poor, disdained by the wealthy and left for the servants. That all changed in the mid-1800s, when the world discovered a taste for lobster and New England fishers began trapping the creatures for sale and export.

Many of Cape Cod's annual events and festivals celebrate the region's seafaring history. At Cape Cod Maritime Days each May, visitors can explore local lighthouses, watch a screening of *Moby Dick*, dance to east coast music, or wander arts and crafts fairs.

MS 3585 KP

While a few commercial fishing boats still dock in the harbor, most of the vessels are now trolling for tourists, offering charter fishing and whale-watching cruises. The largest whale-watching fleet on the east coast operates from Provincetown.

Facing Page–
In its nineteenth-century heyday, Provincetown was home to 5,000 residents and a fleet of 700 fishing vessels. More than 50 wharves lined the harbor and prosperous captains' and merchants' homes crowded Commercial Street. Seventy windmills along the shore churned sea water into vats, where the water evaporated, producing salt.

Humpback, finback, right, and minke whales are some of the most commonly spotted from the bow of a Cape Cod whale-watching vessel. Humpbacks retreat to warmer Caribbean waters to breed and calve each winter, but they're back in Cape Cod for spring, summer, and fall, often breaching close to shore.

English explorer Bartholomew Gosnold sailed the *Concord* along the Atlantic coast of the New World in 1602. He named Cape Cod for the fish teeming in the waters and christened Martha's Vineyard for his daughter Martha and the island's profusion of wild grapes.

Though commercial fishing has declined in the last few decades, the trawlers that leave Cape Cod harbors each morning still support a host of secondary businesses—packers, wholesalers, and suppliers.

FACING PAGE–
Cape Cod National Seashore encompasses most of Provincetown as well as the beaches and dunes nearby. Cyclists can explore trails through the hills while hikers can choose some of the park's guided excursions.

The sea constantly batters the 150-foot-high Aquinnah Cliffs at the southwestern tip of Martha's Vineyard. The Wampanoag people who live near the cliffs are the descendants of natives who helped the first Europeans settle here centuries ago. Known for their bravery, Wampanoag men steered some of the first whaling ships and rescued countless shipwrecked sailors.

BUOY
1867
Deschenaux

The revivalists decorated their Oak Bluffs cottages with elaborate window shutters and eaves, carved railings, and colorful paint. The “gingerbread” style was eventually copied by the island’s wealthier residents, and some of the most ornate homes still stand today.

Facing Page–
In 1835, Jeremiah Pease organized the first summer church meeting near what is now the town of Oak Bluffs. A few tents soon turned into mass revival meetings. Cottages sprang up around the revival grounds—so many that the community was first called Cottagetown.

The Steamship Authority provides year-round vehicle and passenger ferry service to Martha's Vineyard and Nantucket, but Nantucket visitors are encouraged to leave their cars behind. Most of the island's attractions and beaches are served by local shuttles.

Connected to the shore by a thin strip of land, the Edgartown Lighthouse was built in 1938 in Ipswich and brought to Martha's Vineyard by raft. It replaced an earlier structure that had stood on the island for more than a century.

The elegant homes of Edgartown on Martha's Vineyard once belonged to sea captains, including more than 100 whalers, who collected china, art, and furniture from around the world to bring home to their wives. Many of the buildings here date from between 1830 and 1845.

SEAQUIN

The first European settlers on the island of Nantucket arrived in 1659, seeking relief from the strict religious standards of the Massachusetts Bay Colony. A strong Quaker settlement later grew here.

Nantucket offers a unique array of artisans' wares, from jewelry made from antique whalebone to Nantucket lightship baskets, uniquely designed round vessels made on the island since the mid-1800s. Chocolates and candy, berry preserves, and even brews from a local microbrewery are available in the village shops.

The Brant Point Lighthouse is the tenth beacon to warn sailors away from the cliffs of Nantucket. The first was built in 1746 and it and the following four were destroyed by fire or storms. The next four were progressively replaced by more modern lights. The present lighthouse was completed in 1901 and stands 26 feet high.

U.S. LIFE SAVING STATION

Cranberry growers flood the bogs for the harvest season each year. Massachusetts grows one-third of North America's cranberry crops and some of the plants in Cape Cod bogs are 150 years old.

FACING PAGE—
Nantucket's Lifesaving Museum celebrates the courage of the men and women who risked their lives over the past three centuries to save shipwrecked sailors. Inside, visitors find examples of early lifesaving apparatus, from warning guns to beachcarts and surfboards, along with remnants and artifacts from vessels wrecked along the coast.

Clambakes are a Nantucket tradition. The hosts begin early in the day, stoking a fire on the beach and building a steam pit, using hot rocks. Then baskets of clams, lobster, and corn-on-the-cob are lowered into the pit and covered with a thick layer of seaweed to seal in the heat. The food emerges a few hours later, steaming and ready to eat.

FACING PAGE–
Whaling flourished in Nantucket for more than a century, reaching its peak between 1800 and 1840. The Nantucket Historical Society's newly expanded Whaling Museum houses documents and artifacts from the time, including a 47-foot sperm whale skeleton and a world-class collection of historic scrimshaw carvings.

GOING ON THE WHALE
WHALING MUSEUM
JETTIES BEAC

Great Point Light, designed to steer sailors through the channel between Nantucket and Monomoy islands, was built in 1785 and replaced with a stone tower in 1818. Despite the beacon, more than 40 ships floundered off the point in the latter half of the nineteenth century. The current beacon is a replica of the 1818 tower, which was destroyed in a 1984 storm.

Nantucket encompasses only 48 square miles and is home to 9,000 residents, but its population swells to 40,000 each summer. Visitors searching for a less crowded venue might look to Siasconset, a tiny village on the eastern shore of Nantucket where cyclists peddle along the bluffs and climbing roses drape the rooftops.

Four windmills once stood on Nantucket, serving the local settlers. Today only one survives, built in 1745 and donated to the Nantucket Historical Association in 1897. The mill operated commerically until 1892 and is still capable of grinding corn on a breezy day.

FACING PAGE–
Tristam Coffin and Mary Gardner Coffin were two of Nantucket's first European settlers. Their grandson, Jethro, built this house in 1686 and it has survived more than three centuries of winds and storms. As the oldest home on the island, it is preserved by the Nantucket Historical Association.

Buffeted by wind and waves, Cape Cod's barrier beaches change constantly. A single storm can move an entire sand dune or cut a trough through a beach to the earth behind. It's on these barrier beaches, where the shifting sands gradually give way to hardy grasses, that seabirds such as roseate terns and threatened piping plovers build their nests.

FACING PAGE–
Scenes such as this one are commonplace on Cape Cod, part of the reason painters, sculptors, writers, and artisans have flocked here for the past century. Master photographer Ansel Adams captured the Cape on film in the 1930s. Other famous artists who dot the region's past include Charles Hawthorne, founder of the Cape Cod School of Art, and painter and illustrator Edward Hopper.

Nantucket may not offer the nightlife of Provincetown, but the pristine island possesses the highest concentration of historic buildings in the nation, along with long stretches of deserted white sand, quaint summer cottages, cranberry bogs, and moorlands.